S0-BLZ-762
人斬り抜刀斎

人斬り抜刀斎

るろうに剣心
―明治剣客浪漫譚―
15
和月伸宏
RUROUNI KENSHIN
Once a ruthless assassin
known as "the Unsheather",
Now a wanderer who protects
people with a reverse-edged blade.
The romance of this swordsman
bridges two eras of the XIX Century.

15

るろうに剣心 —明治剣客浪漫譚—

RUROUNI KENSHIN

るろうに剣心
—明治剣客浪漫譚—

第百五十八幕「双嵐吹き荒ぶ!」
伸宏 和月

午後十一時──

コチ…
コチ…

コチ…
コチ…

神谷活心流
剣術道場
グッ
来た!!

剣心！
今の音!?
あ…
開けて…下さ…い
しっ
早く…しないと
前…川道場が…
そのまま…
すこしずつ下がるでござる

ゼェ
ゼェ
一体何があったんだ!
道場やぶりか!
…ち 違う… あの男… 最…初から
「殺す」つも…りで やって来た ……

駆け…つけた… 警…官隊も 全く…歯が 立たな…い…
こ…のままでは… まとめ…て 皆殺し…に
剣心!
俺も 行―

来るな!!!

朝までには戻る！
それまで厳重に
戸締まりをして
警戒を怠らない
様に！
う…
うん

赤べこに続いて
今度は
前川道場…
偶然じゃない やっぱり
何かが私達の周りに
起こっている！

ググッ・・・
前川道場・・・！

薫殿と弥彦の
出稽古先
拙者が訪れたのは
雷十太の一件の時の一度きり
前川道場

まさか
そんな所が
狙われるとは
相手は予想以上に
こちらを調べ尽くしている!!

オイ
剣心!!

左之助‼
小国診療所の見張りは‼
見張りどころじゃねえ
前川とかいう
道場からの
ケガ人で こっちは
てんやわんやだ‼

あなたが
緋村さんですか
お話は浦村署長から
常々伺っております‼
丁度良かった
署長が
来ないので
独断になりますが
ご協力お願いします‼

来ない…？
何故でござる
………
それが…
自宅の方に
緊急の使いは
出したのですが

あなたァ！
お父さん!!
来るんじゃない！
武器を捨てて縄につけ！
でなくばこの場で射殺するぞ！
下がってなさい!!
ニィッ

愚か者め
この私を
そんな
見え見えの
武器で殺そうと
思うとは
……………
フッ
ズ
ドン!!
くっ!
びくっ

拙者は署長殿の自宅へ行く!
ダダダ
左之は前川道場の方を頼む!!
考えが浅かった…これはただの復讐じゃない
拙者がほんのわずかでも関わった全てを攻撃の対象とする兇気を孕んだ復讐!

このままではいずれ次々と加熱していき
この街はおろか東京中に狂嵐が吹き荒ぶ!!

署長殿…
間に合ってくれ!!

!?
ぐああ
あ!!
馬鹿な…
いったい
何が…!?
全ては
私の思うが
まま…

気分爽快だ！

ボタリ

げぼっ!!
む…う
どうしたァ
あんたらは
闘らねェのか!
こっちは
まだまだ
いくらでも
イケるぜ!
……
ビクッ
ただ囲んでいる
だけじゃ 俺は
捕えられねえぞ!
ハッハ
ーーッ!!

ガラアッ!
上等だコラァ!!
ああ!?

てめえの相手は俺がしてやる!
このマダラヤローが!!

るろうに剣心
—明治剣客浪漫譚—

第百五十九幕
「無敵鉄甲」
るろうに剣心
戌亥番神
伸宏
和月

フオオ
お前が相手だと!?
ハッハーーッ!!
どーみても警官じゃねぇな オイ
近所のおせっかいな正義漢っつうところかあぁッ!?
チッ
剣心はこっちを調べ尽くしているとおまえらを評価してたが
あいつらしくねェ
今回は読みが外れぎみじゃねェか

俺の名は相楽左之助！
縁も所縁もここの連中より剣心に深い友人だ!!
忘れねーよう手のひらにでも書き留めやがれ!!
フーンそうかい…それじゃここの連中以上に
丁重に相手してやんねェとな
グエ

いくぞオラァ!!
ギャ
ぐエ
てめえ

ハッハーーーッ!!

どうしたどうした!!
俺の真骨頂はこれからだぜ!!
くっ!
ヤロウ!!
グッ!!

右手だけなら
剣さんより
あなたの方が
重傷
なんだから!
ハッ!
くそ
二重の極みは
つかえねェ
だが
互い武器無しの
徒手空拳同士
真向勝負に
かわりねェ!!

何！
ハッ
ハーーーッ!!!!

グラリ!!
……!!
ハッ
ヤロウ
こいつ……!

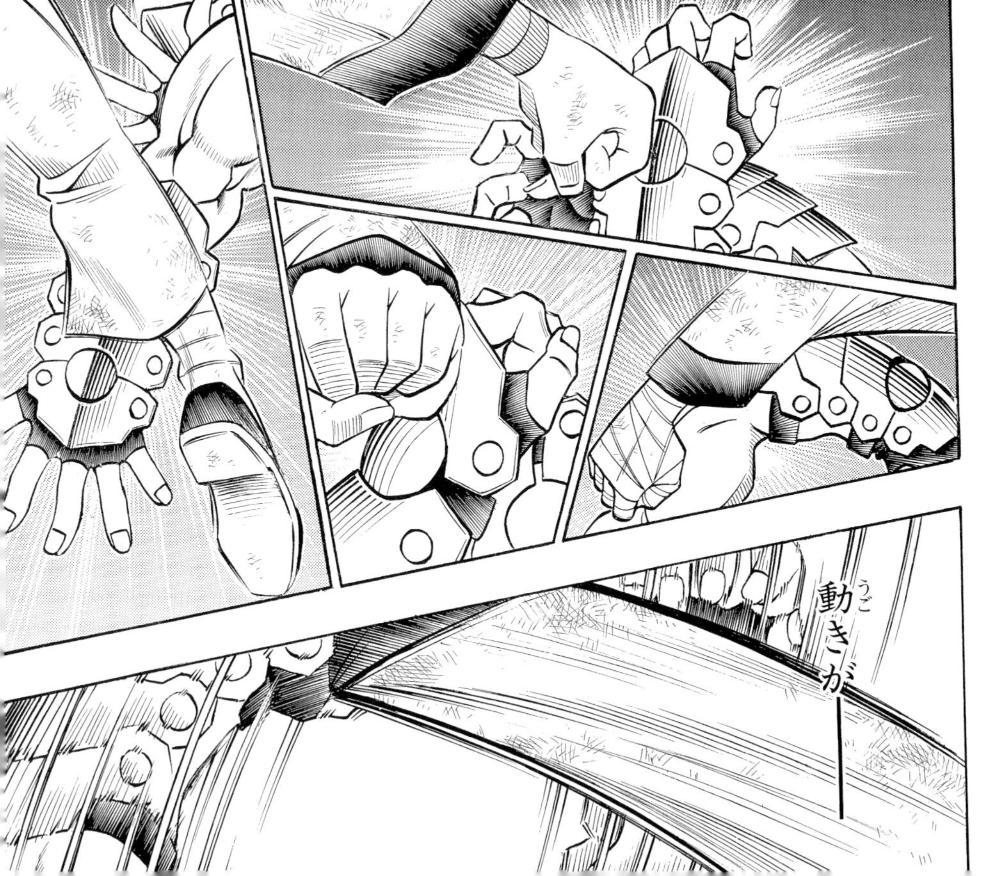
動きが

ハッハーーーッ!!
違(ちが)う!!!

オラオラもう終わりか!!
……成程な……
てめえに当てるにはまずその鉄甲からブッ壊さなきゃならねェようだな

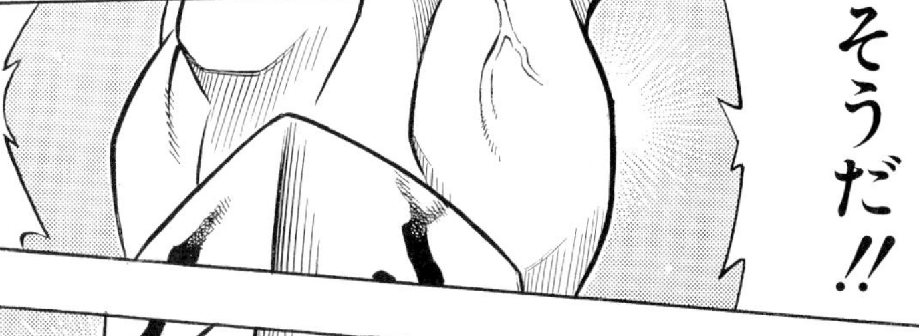
そうだ!!

だが出来るか!!

全面に施された傾斜によってどんな名刀の太刀筋をも狂わせ
且つ一寸七分の肉厚によって どんな弾丸をも弾く この鉄甲!!

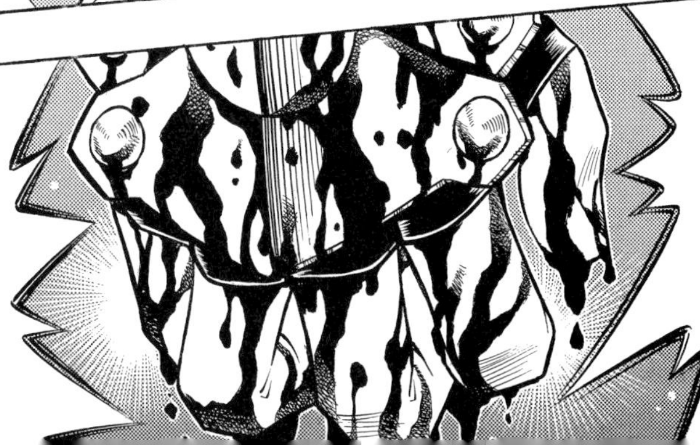
そして その鉄甲を駆るは古今東西のあらゆる武術の技を捌く
術式・無敵流!!!

その二つを
兼ね備えた
この
〝無敵鉄甲〟の
戌亥番神!!
生まれてこのかた
敗北を知らねえ!!
術式・無敵流だけで
抜刀斎に挑み
敗れた師匠に
代わり
抜刀斎は
俺が
殺る!!!

お前が剣心を
狙う理由は
師匠かい…
ヨロ…
まあな
師が破れたから
弟子も破れて
当然だと思われるのは
我慢ならねェ

俺は勝負と
勝利以外にゃ
一切興味が無え！
だから
師匠だろうが
何だろうが 負け犬に
なっちまったヤツには
何の同情も沸きゃあ
しねェ!!

俺は常に
前向き
なんだ！
そうかい…
それを聞いて
安心したぜ
実を言うと今回は
敵がどんなに
ヤバくってもよ
それが
深い悲しみから
来てるんなら
最後のシメはやはり
剣心に預けるのが筋だと
思っていたんだ

だが てめェの様な
復讐を口実にした
戦闘狂は
剣心に
預ける
必要はねェ
!!
てめえには
この俺直々に
敗北の
味と意味を
教えてやらあ
!!
ハッハ
ーーッ
!!
この
「二重の
極み」
でなッ!!!!

!!
なにイイイイッ!!?
おおお!!!

お父さんッ!!
フオオオオ
あなた!!
浦村
フム
いい夜風だ
さて…そろそろ終わりとしようか

貴様…
いったい何…者
お父さん!!
うぐおおおッ
騒ぐな
寂しい思いはさせん
一家まとめて仲良くあの世に送ってやろう
私を恨むなよ
恨むなら

「拙者を恨め」でござるか？
悪いがこれ以上人から恨まれるのはもう御免蒙りたい

…左頬に十字傷
緋村さん!!

やはりそうか…
そうかこれはいい

不意の遭遇とあらば他の五人を差し置いて
ニッ
ここで討ち取っても何の問題もない
抜け!お前自慢の抜刀術と
私のこの左手の「梅花袖箭」
どちらが勝るか勝負だ!

るろうに剣心
—明治剣客浪漫譚—

第百六十幕「人間暗器」

伸宏
和月

さあ
どうした？
抜け 抜刀斎
だめだ 緋村さん！
そいつの左手は得体が知れない!!
触れもせず拳銃を暴発させてしまう!!

…一つ聞く
拙者はお主の
誰の仇でござる？
…………
そうだな

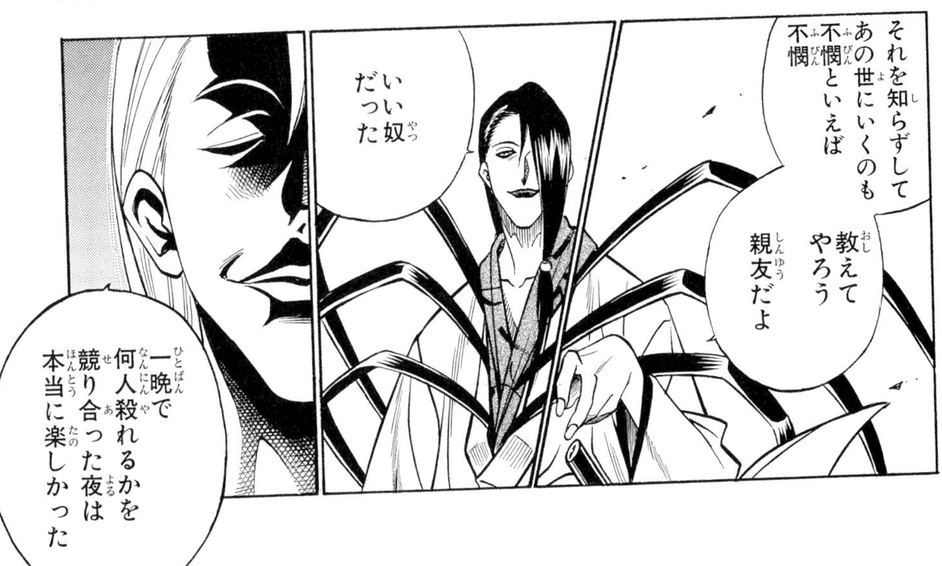
それを知らずしてあの世にいくのも不憫といえば不憫
教えてやろう親友だよ
いい奴だった
一晩で何人殺れるかを競り合った夜は本当に楽しかった

…お主も
あまり人に誇れる
人生を生きてきた
男ではござらんな
その通りだ！
だが
それでも
拙者が仇で
あることに
変わりはないか…
貴様は私の
まぎれもない仇
さあどうした
ぐずぐず
するな！
この梅花袖箭で
後ろの四匹を
先に始末しても
いいんだぞ!!

すっ……
緋村さん!
ニィ
嗡
オン

!
?
ブッ

…これが
ひゅっ
得体の知れぬ力の正体か…
矢……！
しかし弓なんてどこにも…！
…フフ
そうだ
六連装の鉄筒より鉄矢を強力なバネで打ち出す!!
暗器「梅花袖箭」!!
左手に描いた梵字と奇声とで一瞬の虚をつくり出し
さらに発射操器に絹糸をつないで死角側の右手で操作したこの技をよくぞ見破った

暗器一つに
よく
考えている
小さな
銃口を
正確に射抜く
技術といい
お主…
フ
そのとおりだ
私の得意とするのは
剣術とか武術の
類ではない
得意とするは
全ての暗器
この「人間暗器」の
乙和瓢湖
全身に隠し備えた
十と三の暗器によって
いかなる強者でも
必ず仕留める!!

…復讐が目的ならば
闘いにはいくらでも
応じる
ただこれ以上他人を
まきこむのは
もう止すでござるよ
ぐっ
!

うぐぁ!!
梅花袖箭を素手で受け止める相手に
正面からはいそうですかと闘いに応じるバカな真似は出来んよ
暗器使いの闘い方は人の虚を突き裏をかくのが常套
同じ暗殺稼業でも人斬りと同じと考えるのは大間違いだな

すっ

ゴバ
ッ
!
ぼちゃ
ウゥウウ

これは…
毒の霧!!
暗器「過水毒煙」
毒と言っても直接毒で殺すものではない
せいぜい四五分手足をしびれさせる程度の毒だ
シュウウ…
もう二三自慢の暗器を披露したかったが生憎もう
「人誅の時間」だ

またの遭遇を期待してるぞ
出来るならばな
人誅の
時間?
あああああ!!

バカなァ
この鉄甲が!!
無敵だか
なんだか
知らねーが
この右の拳に
砕けねぇものは

無(な)…
ぐおあああっ!

反動・・・
傷の治りきってねえ状態で二重の極みを撃った・・・
ぐおおおっ
…………
ジャキィ
そこまでだ狼藉者!!
斉射!!

!
シュウウ…

そうだ…
弾丸をも弾くこの鉄甲!
ニッ

無敵鉄甲を本気でブッ叩いて拳が壊れん訳がねえッ!!
ハッハ――ッ!!
ブンッ
無敵鉄甲言うな　コラ
もう「無敵」じゃねェんだからよ
殺スッ!!

!
なんだ…
…まだぐずぐず闘っていたのか
號弐

外印!!
チッ!
新手か

退け番神
かぱぁ
既に
ズ!!
ズ!!
「人誅の時間」だ

るろうに剣心
—明治剣客浪漫譚—

第百六十一幕「穿つ問い掛け」

ゴオオオ
退け
「人誅の時間」だ
人誅の時間…？
いや それより
人間から人間が出てきやがった!

失せろ外印！
まだ勝負はついてねェ!!
ガシッ
こいつはこの場でぶっ殺す!!

がならずとも俺は失せるよ
よっしょ
ず…
お前も巻き添えがいやなら
退くのが身のためだ
ぴょん!!
!
……
チッ

ハッ!
すう〜〜
ハッハーッ!!
今日はこれで終いにしてやる!
一時の命拾いに感謝しな!!

何意気がってやがる
よーするに痛み分けじゃねーかよ
残念だったなお前の大好きな
勝利を手に出来なくてよ

何イイ
やっぱりここで――
先に行くぞ
ヒュッ!!
あっ待てコラ!
相楽左之助とか言ったな
てめえ俺のツラ覚えとけよ!!コラ
ヌヌヌヌ!!
次があったら
てめえは必ずブチ殺す!!

ハッハ――ッ!!

「次があったら」？
何言ってんだあるに決まっているじゃねェかよ
てめえ等が諦めるか俺達がくたばらねェかぎりよ！

しかし…ありゃ一体なんなんだ？
着ぐるみにしちゃあよく──…
ザワ
ザワ

………

ジジジ…

「人誅の時間だ」
離れろォ!!!
!
おおおォ!!
ぐずぐずするな!
急げ!

ばち ばち
バ
爆弾！
しかもあのマークは…!?
伏せろ!!

オオオ…
ちくしょう
赤べこの時と
いい
標的は
有無も言わさず
全て消し飛ばす
戦略かよ!
よーく
わかったぜ
てめえ等に
諦める意志は
毛程もねェって
な!

これで
被害は赤べこ全壊に
前川道場半壊
重軽傷者
多数
向こうは
チンケな
鉄甲一つ…

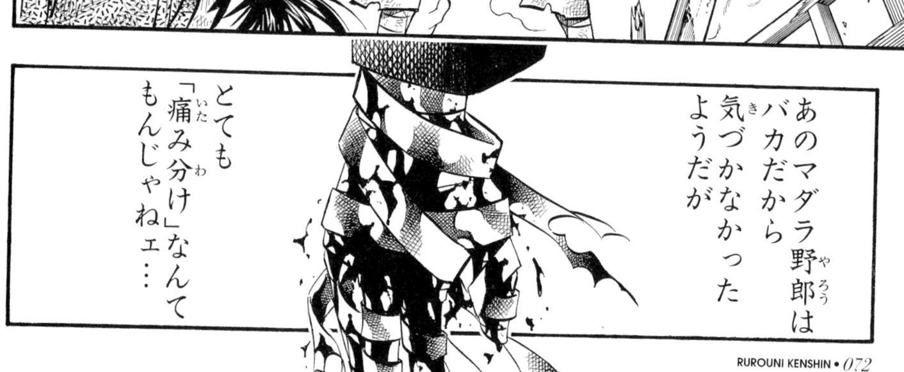
あのマダラ野郎は
バカだから
気づかなかった
ようだが
とても
「痛み分け」なんて
もんじゃねェ…

くそっ！
何とかしねェと
このままじゃ一方的に
追いつめられる
だけだ
ドサッ

くっ…
シュウウ…

何とか
しねェと…

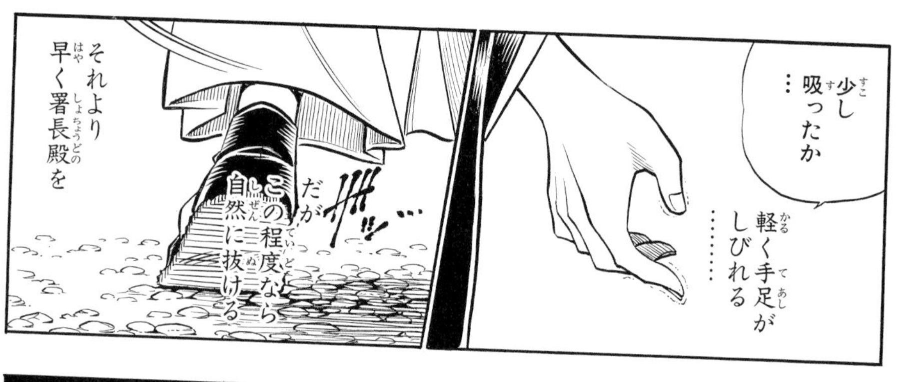
少し吸ったか……
軽く手足がしびれる……
だがこの程度なら自然に抜ける
それより早く署長殿を

『人誅の……時間……』

人誅……

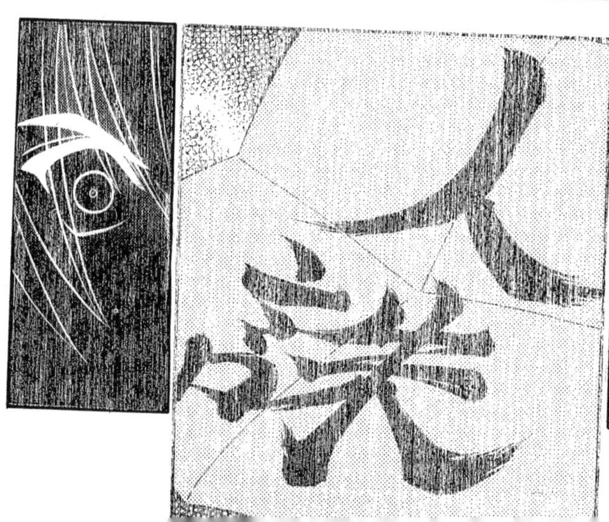

人誅の時間
じんちゅうのじかん

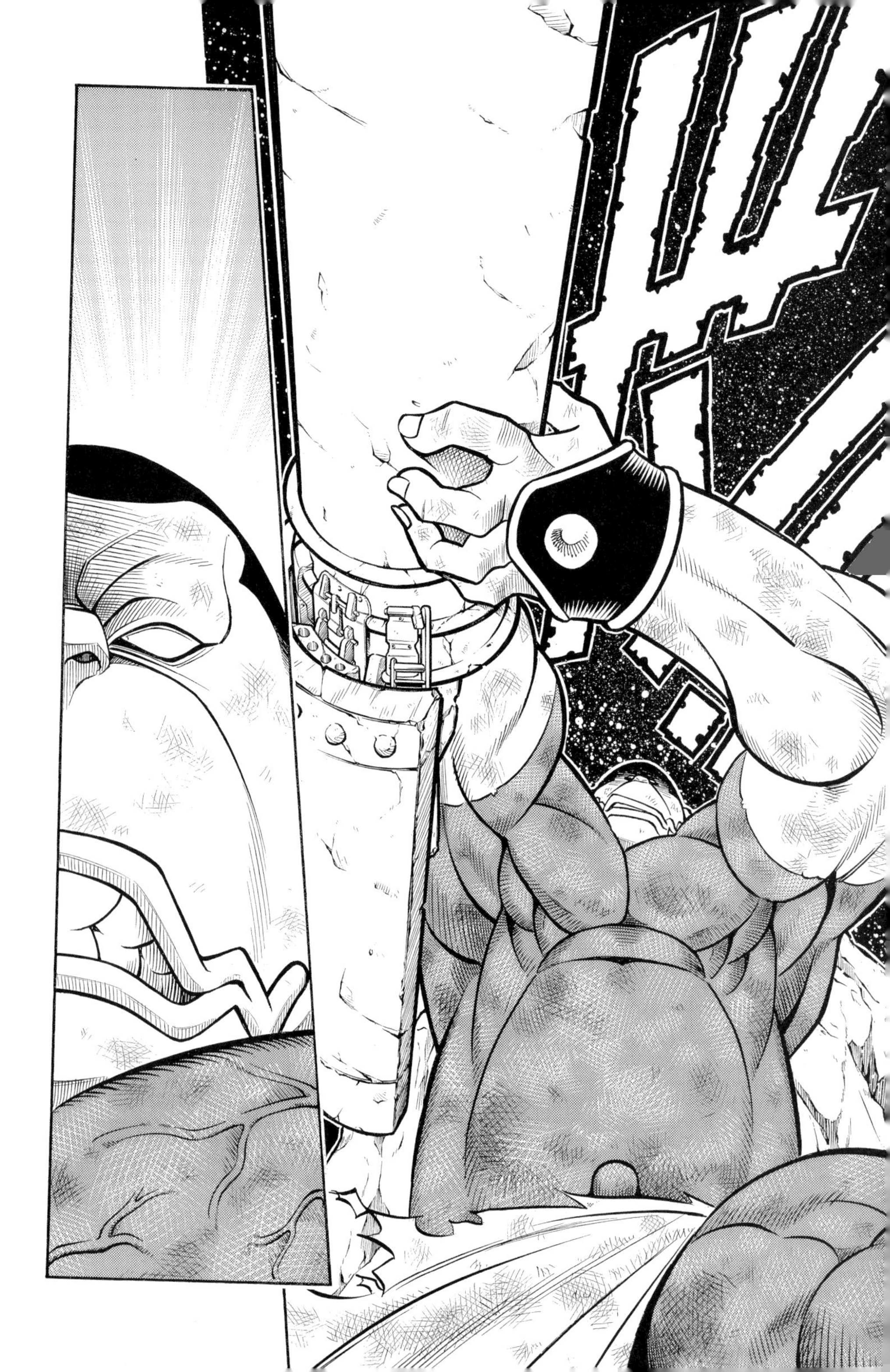

逃げろオォ!!

ぐっ!
!
お父さん!
!
お父さん!!

お父さん!
大丈夫でござる
ただ気を失って…

なんで…
こんなヒドイ…
お父さんが…
あたしたちが何をしたっていうの…

なんで…

なんで
ゴオオオ
こんな目に…

るろうに剣心
—明治剣客浪漫譚—

第百六十二幕「暁に想う」

コチ…
コチ…

お早うございます
薫さん
ああ燕ちゃん
お早うよく眠れ
緋村さん
まだ帰ってないんですか？

燕ちゃん寝ぐせすっげえ
ええ!?
ああ!?
すみません枕変わるといつもこうなんです
ふふじゃあしばらく朝大変だね
でもそっかあの時燕ちゃんも起きてたんだ
はい怖かったから道場の陰から見てたんですけど
ねえ薫さん
近頃私達の周り…何か変ですよね
んー?

いったい何が起こっているんです?
燕ちゃんはそんなコト心配する必要ないの
——といいたいところだけどね
……

正直 私にもわからないの
何が起きているのか――…

左之助は知ってるみたいだけどね
刺さってますクシ…
痛いです薫さん
ググッ

剣心帰ってきたら一度聞いてみるわね

絶対に答えてくれないと思いますけど
ウーン
燕ちゃんスルドイわねェ

そーなんだよねえ
剣心のあの何事も独りで背負い込もうとする性格は困りものよねェ
フーッ

薫さん
心配じゃ
ないんですか？
はい？
緋村さんが京都に
一人でいった時は
あんな風だったのに…
あはは…
あの時の
話はかんべん
して頂戴
今 思い起こしても
情けない限りで
みんなに迷惑
かけちゃってホント
申し訳なくて…
読者様からも
ボロクソ言われちゃったし…
…そうね
心配じゃないって
言えばウソに
なるわね
でも

何が起こるかわからない
人生の中で この先
私がどうなろうと
剣心がどうなろうと
あんな別れ方だけは
もう絶対にない
京都の闘いを
経た今
それだけは確か
だと思えるから
ね！
…………

薫さんと
緋村さん…
この二人
幸せになれるといいいな…
よし
はい出来上がり
そろそろ夜明けね
ちょっと早いけど弥彦おこして朝食とりましょ
え
あのさっき部屋の障子開きっぱなしだったんでチラッと見たんですけど
弥彦君いませんでしたよ
?
そんな変ねェ
あの寝坊助が早く起きるなんて

まさかあいつ
昨夕からずっと外に居たまんま——!?
えぇ!!
あのバカ!
用心しろって剣心言ってたのに何やってんのよ!
弥彦!!

薫…
やっぱり
奥義
教えてくれねーか
!
何言ってんのよ
昼間言ったでしょ
あんたは十歳としては
十分強いって
でも今はそれ以上
強くなるのは
よくないのよ
まして
闇雲に──
闇雲じゃ
ねェよ
今
俺達の周りで
確実に何かが
起きているのは
薫だって
解ってるだろ!
今こそ俺は
力に
なりてえんだ
十歳として
「強い」ったって
力になんなきゃそんなの
「弱い」と同じ…!
もう
俺だけ…
そんなのは
もう嫌なんだ…

俺だけ弱いのは
もう嫌なんだよ!!
弥彦…君…
この子――
弥彦…

泣いている――……

――…

なんで…こんなヒドイ…
お父さんが…
あたしたちが何をしたっていうの…
理由は「人斬り抜刀斎」に関わったから―
赤べこも…
前川道場も…

無差別に近い程理不尽な猛襲と破壊
次こそは必ず喰いとめる

だがその後はどうすればいい？
この闘いはこれまでの闘いのように相手を止めれば倒せばそれで済むという闘いとは違う

乙和とか言う男の言によれば相手は全部で六人
そしておそらく程度の差は有れ六人が六人
〃人誅〃という正義の下拙者を仇とする復讐者

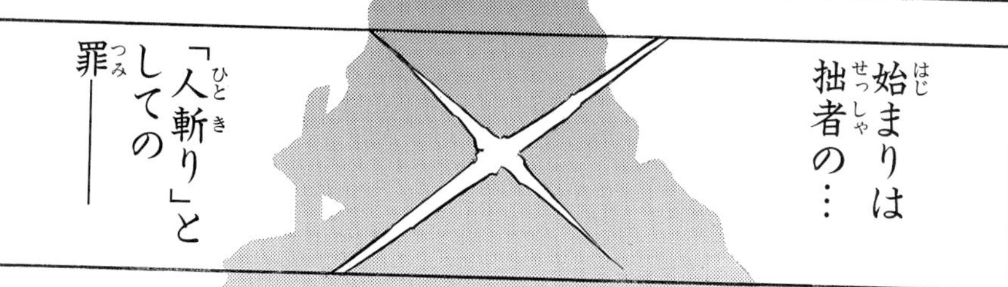
始まりは拙者の…
「人斬り」としての罪——

どうすれば
拙者は
許される？
チチチ
謝罪か？

死か？
それとも
全く別の…
ザッ…
何か―

――誰だ…？――

お前は……
縁…

巴ともえ!!

チチチ

どうした抜刀斎？
姉さんの幻でも見えたのカ？
…………

るろうに剣心
—明治剣客浪漫譚—

第百六十三幕「終焉への序曲」

お前には姉さんの幻を見る
資格などないンだ!!
伸宏和月

雪代…
…縁
お前が今回の一件の
首謀者だったか…

聞くまでもないだろ

お前と最後に会ったのは確か鳥羽伏見の戦いの戦火の中だったから
あれからもう十一年か

……
お前はいったい――

「十一年間どこにいたか」カ?
上海に渡ってたサ
お前ら維新志士がつくる新日本なんかこっちから願い下げだったからナ

上海
東西の富と欲望がうずまく東洋の魔都

あの事件で姉さんを失い戊辰戦争で一家は離散
日本を離れガキ一人で上海で生き抜くのは熾烈を極め
泥水をすすり屍肉を喰らい何度も病に倒れ何度も死にかけた

…もういい
それ以上喋るな
そういわずに聞けヨ
ここは唯一俺がお前に感謝をするところ
……
そう…何度も死にかけたがその度俺は生き延びた
お前への復讐…姉さんの仇を討ちたい一心でな!
そして十一年…日本語の発音を忘れる程の長い上海生活で
俺は這い上がり
ついに昇りつめた
大陸経由の密造武器全てを取りしきる上海闇社会の頭目にな

鯨波のアームストロング砲！
乙和の暗器！
番神の特殊鉄甲！
外印の大型炸裂弾！
全て俺が裏から調達した代物だ!!
それと志々雄真実
あの男が手に入れた甲鉄軍艦
あれも俺の手配した代物だ

ガガガーン
ガーン
ガーン
シュウウウ…
——…
けどあれは失策だった
まさか お前が志々雄と真っ向からブツかるとはその時 思ってもみなかった
よくぞ生き延びてくれた
嬉しいゼ
ニッ

シュウゥゥ…
よくわかった…縁…
お前が姉の仇を討とうとする気持ち
それは至極当然だ
チチチ…
復讐というお前の正義……
拙者には否定できない
だがただ一つ
もうこれ以上他の人を巻き込むのはよせ!!
お主の仇は拙者一人だけのはず
罰を受けるのは拙者一人のはずだ
違うナ
俺の仇はお前一人ではなく
お前の全て!

お前に親しくしている者
お前と言葉をかわした者
そして
お前がその血刀で
つくりあげた
この日本全て
姉さんのいない日本なんて
それだけで罪に等しいンだ
違う!縁
罪を犯したのは
拙者一人なら
罰を受けるのも
拙者一人!!
それ以外は それは
復讐ではなく
ただの殺戮!!
巴は復讐を望んでも
殺戮は決して
望まないはずだ!!

ガッ
！
貴様が姉さんを語るな！
貴様に姉さんの何がわかる!!

カラ
カラ
フーッ
フーッ
二度と姉さんの名を口にしてみろ!!
その時は煉獄級甲鉄艦十隻東京湾にならべ一夜で東京を火の海にしてやる!!

ドッ!
びちゃ!
だが…
姉さんは大勢で
騒がしくするのは
好まない
静寂なひとときを
愛する人だった

だから俺は
俺と同様に
お前に恨みを
持つ者を
選りすぐり
こっちの戦力を
わずか六人まで
限定し
標的すらも お前に
直接接触をもった
存在だけに限定した
これ以上
文句があるなら
ただちに
東京全てを
標的に変更
してもいいんだゾ

ともかく
その前哨戦も
今日で
終わり
これより
十日後が
本戦だ
…
十日後!
!…
ああ

場所は神谷道場
そこが俺達六人の人誅完成の場だ

楽しみに待っていろ
その時武器マフィアとしての力ではないもう一つの俺の「力」を見せてやる
ザッ
フフ
フフ
フフフ
縁!!

それ以外に…
闘う以外に…
俺がお前から
姉を奪った罪を
償う方法はないのか
!!
どうすれば
いい!!
答えろ 縁!!
………
この期に
及んでも
まだそんな
くすぶった
考えを
捨てられない
とは
つくづく
火付きの
悪い男だ…

「どうすれば
いい」か?
そうだな…
強いて
答えるなら

せいぜい
……!
「苦しむがいい」

…………姉さん
待っててね
あと十日だヨ

え？
もっと早く？
御免よ
こっちにも
ちょっと準備が
要るンだ
うん
でも必ず
復讐は
果たすから
ね

縁！
人斬りの罪を
償う「答え」を
見つけられぬ
まま
十日後
剣心は縁との
闘いを迎える
グッ…
巴…!!

だが
その「答え」が
闘いの果てに
最も残酷な姿をして
待ち受けている事を
今は まだ誰も
知る由もなかった――

るろうに剣心
—明治剣客浪漫譚—

十日後？
ええ 今朝宣戦布告してきました

第百六十四幕「幻と現実」

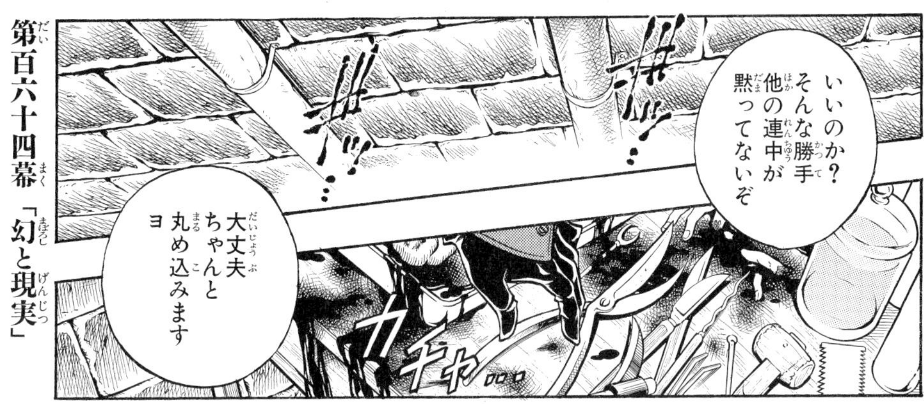
いいのか？そんな勝手 他の連中が黙ってないぞ
大丈夫ちゃんと丸め込みますヨ
ガチャ

それよりあと十日で出来ますか？
任せておけ腕によりをかけて
芸術にも匹敵する一品を仕上げて見せるさ
ゴリ
ゴリ
頼みますヨ何しろ
それこそが俺の「人誅」の要になるンだから…
それ・・

剣心の奴
まだ帰ってねェ？
ええ

なんでえ
人がせっかく
「薬箱」
持ってきて
やったってのに
今さっき
世話に
なったくせに
あんた
感謝の気持ち
欠片程も
持ってないわね
薬箱

までも
心配する
コトァ
ねェか
あいつは
殆んど無敵
だしな

バカね
そうでも
ないのよ――…

――…

おっと
それともう一つ
ついでに
戦利品も
もってきたぜ
え？
ホラ
ちょいと
見てくれ
スッ
悪

どぉん!!
戦利品
東
!
これって…？
確か
十本刀の一人…
でも弐號？
やっぱ そうか
落ちついて考えてみたら
話にきいた特徴が合致したから
もしやと思ったんだが
弐號
今回の闘い 敵さんは
志々雄一派が関わって――
いや
志々雄一派に
関わっていたと
考える方が正しいか…
「闘い」ねェ
するとつまり
この騒動
偶発的なもンじゃないって
コトね
!
ぎく!

あんた 何か知ってるね!!
吐け トリ頭!!
ゴーン
ゴン
てめェ 右手使えねーと思って ぐお!
ゴン
〜〜〜
左之助…
わかった 仕方無え
正直 俺も このままじゃまずいと思っていたところだ——
剣心が 帰って来たら——
薫さん!
剣心さん!
剣心さん 帰ってきました!
!
ざっ!!
でも……
でも…

第百六十四幕
「幻と現実」
伸宏
和月

おい 剣…
すっ…
おかえりなさい 疲れてるみたい ひと寝入りする？
…ああ
…てんで上の空ね……
いいんですか 薫さん 話 聞かなくて…
ありゃ尋常じゃねェ… いったい何があったんだ
…聞けないわ

あんな
つらそうな
剣心
初めて見た…

ちりぃぃん…

縁…
巴…
どうすれば
…
拙者は罪を
償える…？

どうすれば──？

なんだ
ここは…
いつの間に
……
…白骨の山…
まるで
地獄…
志々雄に
似合いそうな
情景…
いや
……

地獄が似合うのは拙者も同じ…
殺されたものやその親しい人からすればただの人斬り
新しい時代のため虐げられた人々のためにと剣を振るったものの…
あまりに多くの不幸をつくってしまった…
!
!
薫殿!?
薫殿どうしてこんな所に!!
薫…

はぁ…
はぁ…
はぁ…

気が
狂う…

どうすればいいのか…
答えが見つからない…
ちりりりりりん…
このまま…
幻に取り殺されるか…
…
…
ガッ
ビシィ…
はっ
たあ!!
バシ
ゴッガン
道場…

ホラ!すぐまた刀身に頼る!!
はぁ
はぁ
はぁ
オウ!!
神谷活心流の奥義は柄よ!!まずは柄の間合いを会得なさい!!
よくやるねェ
チャチャ入れない!!
オウ
……………
あ…剣心さん
燕ちゃんちょっと代わって
弥彦柄のかちあげ百本
エ
オウ!!

薫殿 これは？
え…
ああ
見てのとおり 奥義の 伝授よ
…弥彦には まだ早いで ござるよ
うん… 私も そう思った
…… あのコ 素直じゃないから 最初は「何でもいいから 強くなりたい」なんて いったから
でも 前の晩 剣心が 一人飛び出していったあと… もう 「自分だけ弱いのは 嫌だ」って
あのコは あのコなりに 今何かが起きて いるのを感じ 必死に強くなろうと
成長しようと 頑張っているのよ…
はっ
ひゃああ
はっ
はっ
はっ
剣心と
みんなと
自分自身のために！

……そうでござるな
弥彦なら先走って失敗することはあっても
決して拙者の様に間違ったりはしないでござるな
そうか弥彦もちゃんと異変に感づいていたか
…………
…………
…………
やっぱり
話すべきでござるかな

とくん…
ぎゅ…
………

す…
傷の方大丈夫?
それよりも
話はいいから早く恵さんに看てもらって
ね
薫殿
……ありがとう
え

剣心(けんしん)…？

闘おう…

答えを出すのは その後でいい

今は幻よりも この現実を守りたい…

今朝…
家路の途中今回の闘いの首謀者が宣戦布告してきた…
十日後神谷道場は総攻撃を仕掛けられる…
首謀者の名は雪代縁
拙者の弟でござる
弟？
正確に言えば義理の弟

拙者がこの手で斬殺した妻
緋村巴の弟でござる
!
始まりは幕末…
この十字傷に込められた恨みの話…

るろうに剣心
—明治剣客浪漫譚—

元治元年（一八六四）

京都——。

遅くなってしまいましたね
少し急ぎましょう

最近 腕の立つ人斬りが増えてますし中でも――
ああ 未確認の「人斬り抜刀斎」か

本当に実在するにせよしないにせよそろそろ幕府も手を打たんとな
オイオイ今夜は久し振りにいい酒だったんだ職務の話はやめだよ
しかしそうか清里が来月にやっと祝言か
はあ…

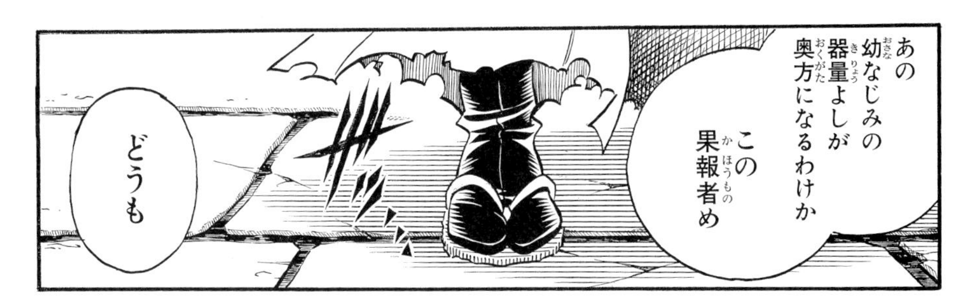
あの
幼なじみの
器量よしが
奥方になるわけか
この
果報者め
どうも

でも悪い
気もするんですよ
世の中がこんなに
荒んでいる時だと
いうのに
自分だけ…
コラコラ
何を
言ってる

世の中が
どうであろうと
人一人がそれぞれ
幸せになろうと
するのが
悪いわけは
なかろう
むしろ その営みの
中で新しい時代が
紡ぎあがって
いくことこそ
本当のあるべき
姿なんだ
京都所司代
重倉
十兵衛殿と
お見受けする

第百六十五幕「追憶ノ壱ー人斬りー」

……！
大内屋
何者…
長州派維新志士
緋村抜刀斎

飛天御剣流
龍槌閃・惨!!!

石地さん
重倉さん!!
ぐあ!!
う…う…

…あきらめろ
……
う
うおああ!!
死ねない
死にたくない
死んでたまるか!!
ハァ
ハァ
ハァ
ハァ
ハァ
うおおお!!

黒船来航から明治維新までの十五年

尊皇 佐幕 攘夷 開国——様々な野望・理想の渦まく最中

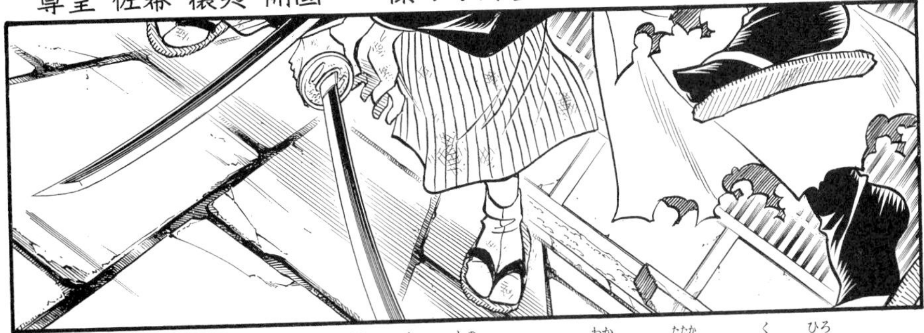

徳川幕府と維新志士——剣を持つ者は二つに別れて闘いを繰り広げた

それが「幕末」!!

!
が!!
……

う…
が…
死…
死に…
たくない…
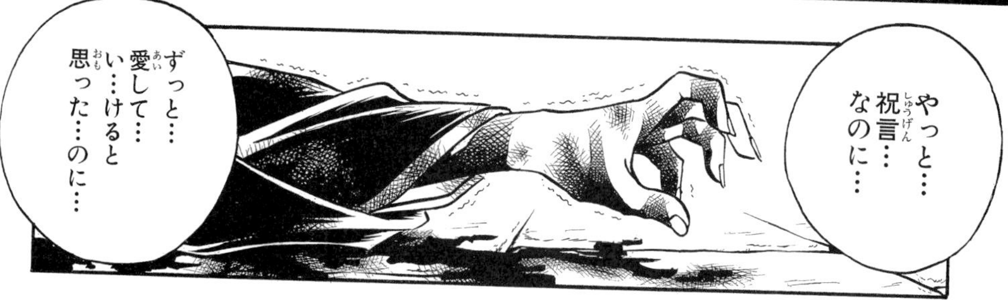
やっと…
祝言…
なのに…
ずっと…
愛して…
い…けると
思った…のに…

と…

御手前しかと拝見…
ザッ…

…検分役御苦労様です
！
左頬に傷が
大したことはありません
すっ…
しかし…緋村さんの顔に一太刀入れるなんて
この男かなりの腕前―

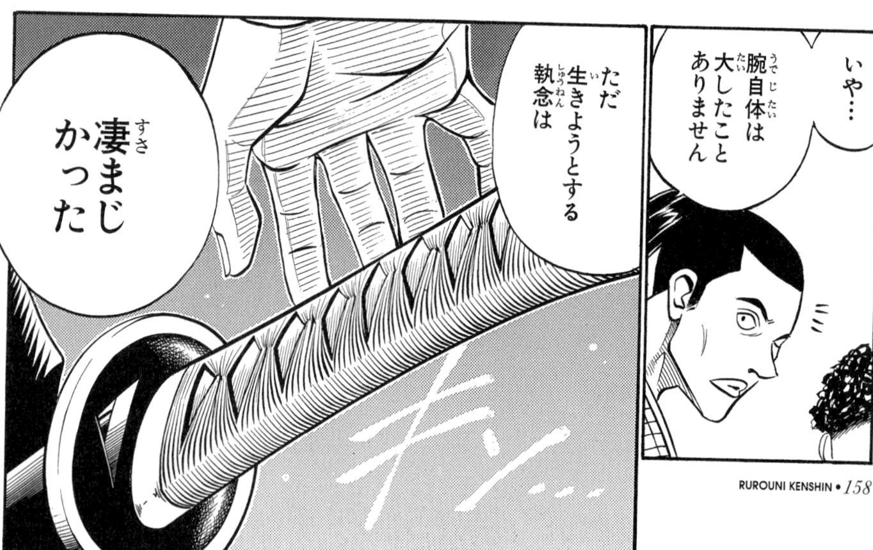
いや…腕自体は大したことありません
ただ生きようとする執念は
凄まじかった
キン…

後の始末よろしくお願いします
ザッ…

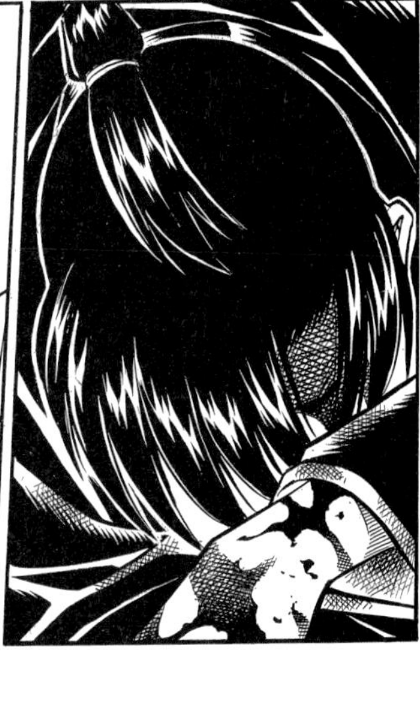

来世で
幸せになってくれ…

え
何かいいいました？
いえ
何も

しかし「生きようとする執念」ねえ
流石超一流の剣客ともなると刀を交えただけでそこまで判るものとは
ああ…
けどよ

そこまで判りながら
顔色一つ変えずここまでやれるとは…

やっぱりアイツは
『人斬り』だよ――……

るろうに剣心
—明治剣客浪漫譚—

第百六十六幕「追憶ノ弐－抜刀斎誕生－」

てん　ちゅう
天誅!!

天誅！天誅！天誅！天誅！天誅！

天天天天天天天天天天天天天天天

誅誅誅誅誅誅誅誅誅誅誅誅誅誅誅

ちゃぷ…
…血の匂いが
染みついてきた

オウ 抜刀斎
こんなトコに
いたか
早く来いよ
トッ…
桂先生が
お待ちかねだぞ
火の用心

こうして顔を合わせて話すのは久しぶりだな
元気でやっているか?
桂小五郎
○実質的な藩の指導者として活躍した長州派維新志士の若き筆頭
後に西郷隆盛と薩長同盟を結び倒幕を実現した
○維新三傑の一人
ええ…元気で殺ってます
オイオイ

今夜の呼び出しの用件は？
いや用件という程大したコトではないかな
大した用件でないなら呼び出しは控えて下さい
オイ
俺はこの半年で三ケタに近い暗殺をしました
いくら存在を隠そうとそろそろ幕府方もうすうす感づく頃
今この長州藩邸に俺が近づくのは得策ではありません
幕府方の武装強化は日に日に強くなっています
特に〝壬生に現れた狼〟…
「新撰組」か…
まだ剣を合わせたコトはありませんが
恐らく実力は幕府方の最強かと…

あんな
寄せ集めの群れに
何をそんな――
わかった
気をつける
ようにしよう

ヘコ
ヘコ
ンで
用件の
方は

実は今度
祇園祭の夜
ある料亭で
極秘会合が
あってな
稔麿や
宮部さんも
出席する
予定だ
護衛
ですか？

いや
そうじゃなく
その席にお前も
同席しては
どうかと思ってな

おおお!!
すげェじゃ
ねェか
名誉だぜ オイ
歴史に名が残る
かも――
お断り
します

「人斬り」はあくまで影に潜んでいる方が双方にとって都合がいいものです
それに自分は歴史にも名誉にも興味ありません
誰もが安心して暮らせる「新時代」があればそれで十分です
オ…オイ
………
駄目でしたね
人斬りを重ね過ぎたせいかこのところ前と様子が変わってきてるから
目の前のエサをぶらさげて気合を入れようというこの案…
エサをぶらさげてとはなんだせっかく桂先生が──
言い方を変えたところで狙いは同じでしょう
飯塚君のいう通りだ
だが久しぶりに会って一つわかった

確かに様子は変わったが
心の中は
一年前と全く
変わってないー
ザク
ヤア!
トォ!
ザク
ザク

いい物を
見せてやると
いうから京都から
急いできたが
何だこれは
晋作
なんだたあ
随分だな
これが維新の
新しい力となる
「奇兵隊」
だぜ!!
高杉晋作
○長州派維新志士の実質的NO.2
○長州きっての行動派で
戦好きの傾奇者 奇兵隊を結成
やがて藩内を倒幕派で統一する

身分も格式も一切関係無え!!
問うは志と実力 このふたつさえあれば 誰もが共に闘う同志 それが俺の奇兵隊だ!
確かに三百年の泰平で腑抜けた武士より力になるかも
だが大丈夫か…
ホラ見ろ
あんな子供まで
あいかわらず心配性だなオマエ
ザワ…

ハハ　このガキ
一丁前に
刀持参か
よおし
何でもいいから
自分の得意なの
やってみな
ケケ
見事
真っ二つに
出来たら
一両くれてやるぜ

フオオ…
おお！

!!
飛天御剣流(ひてんみつるぎりゅう)
双龍閃(そうりゅうせん)

…晋作
一両
あん
があん!!
あの少年を
俺に
京都にくれ

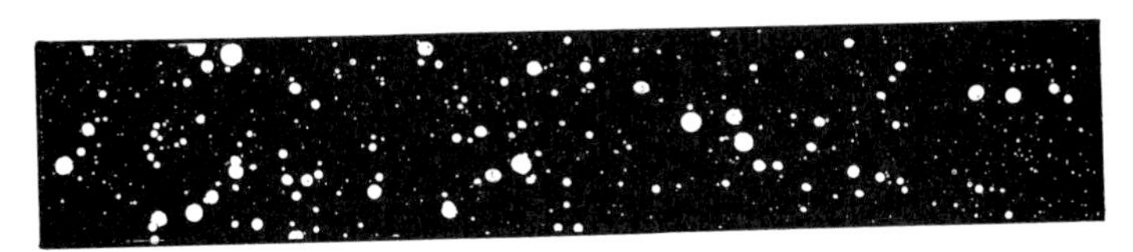

そうか あれが
飛天御剣流か
話に
きいていたが
まさか本当に
存在するとは…

では
もう一つ
聞くが
その
飛天御剣流で
人を斬った
事はあるか?
いいえ

では
人を斬れると思うか
……
……自分の汚れた血刀と犠牲になった命の向こうに
誰もが安心して暮らせる「新時代」があるんだったら──

…よく
わかった
明日朝一番で
京都に発つ
今日は上の部屋を
借りて休め

晋作
あの少年は
京都に
もらうぞ
がた…

そんなに
「人斬り」が要るなら
自分で
なってみたら
どうよ
お前だって
江戸にいた頃は
神道無念流
練兵館の
塾頭まで務めた
腕前
北辰一刀流の
坂本龍馬以外には
負け知らずの
一流の剣客だろ
出来れば
そうしたいのだが
今の自分は
長州派維新志士
筆頭だ

……そうか
そうだな　お前は
幕末祭りの
長州村のみこし
みこしが血にまみれて
汚れちゃあ
誰も担いでもついて
きてもくれねぇか
だが　その為に
あんな若い坊主の
人生を台無しにする
からにゃ
お前は綺麗な
みこしであることを
絶対に貫けよ
べん…
どんなに
危険な死地に
追い込まれようと
後世に
男として
恥ずべき汚名を
残すような立場に
落ちようと
今後一切
決して
自分の刀を
抜くんじゃ
ねェぞ

言われなくとも
百も承知
今日が
「剣客・桂小五郎」の
命日だ

あれから
じきに一年…
この一年で
容姿ががらりと
大人びたせいも
あるが
あいつは
様子が
かわった
ズ…
では
安心
ですね
だが心の中は
全く以前のまま
汚れ一つない

ないまま
だからこそ
「人斬り」
という
現在の
自分に
激しい落差を
感じ始めて
いる…

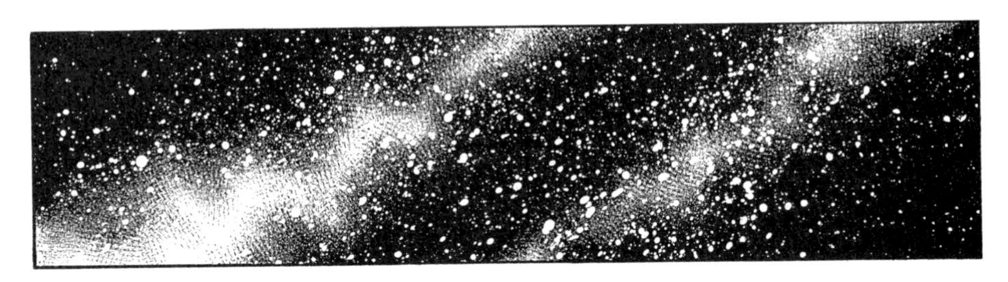

酒処
な
ガヤ
ガヤ
ガヤ
ははは

コト…

不味い…
最近は
何を飲んでも
血の味しかしない

ガラ…
ガヤ
ガヤ
ガヤ
ガヤ…
カラン
カラン
ひゅ～う

いらっしゃいまし
何にします?
冷酒を一杯頂戴します

るろうに剣心
―明治剣客浪漫譚―

第百六十七幕「追憶ノ参―血の雨の男と女―」

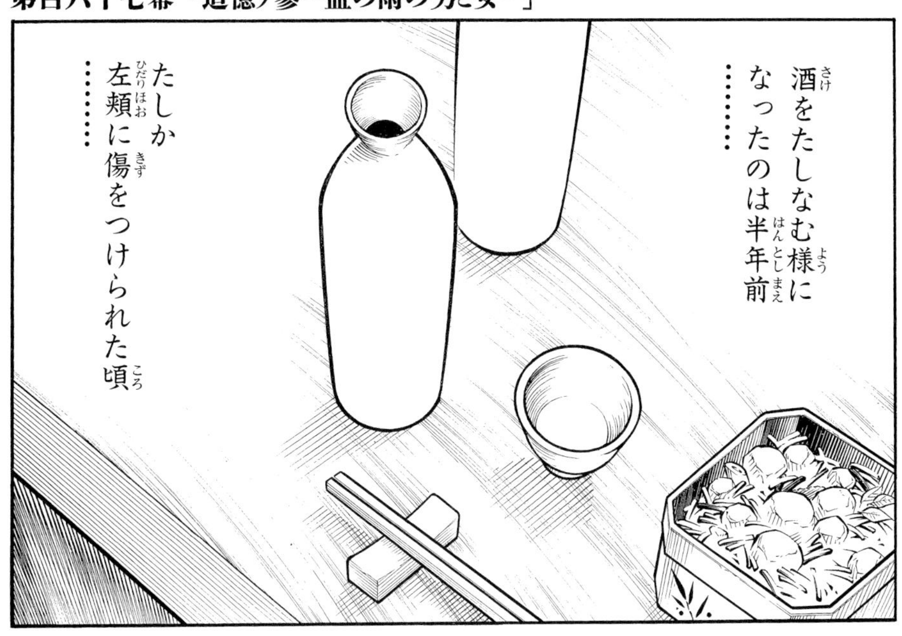

第百六十七幕

「追憶ノ参－血の雨の男と女－」

フ…

ぽっ…
カリタッ!!
オイ
ああ

女‼
一杯ついでもらおうか
ザッ
どん‼
俺らは会津藩預かりのキンノーの志士
日夜おまえら下々の者共のために命をはっておる
そのお礼にようく相手するのは至極当然のコトだろ
会津藩は幕府側だバァカ
何か言ったたか‼

しぃ…ん
それでいい
余計な口出しは無用
命拾いしたな

確かに命拾いだな
抜き切っていたなら
俺が相手をしていたところだ

なん…
!!

一つ忠告してやる
動乱はまだまだ激化する
……
この先の京都にお前等似非志士が生きる場はない
命が惜しくば早々と田舎にでもひきあげるコトだ

そうだそうだ
ブーブー
う…ぐ
ブーブー
マガイモノは京都から失せろ!!

くそが
チッ
ちゃりぃ〜ん
騒がせたな
あ…
まま毎度

やるわ
あの若いの
正義の
志士ってな
カンジやろ
……

……

血の味の
酒が一段と
不味くなった……
以前はあんな雑魚に
気分を
イラつかせるコト
なんてなかったのに…

……
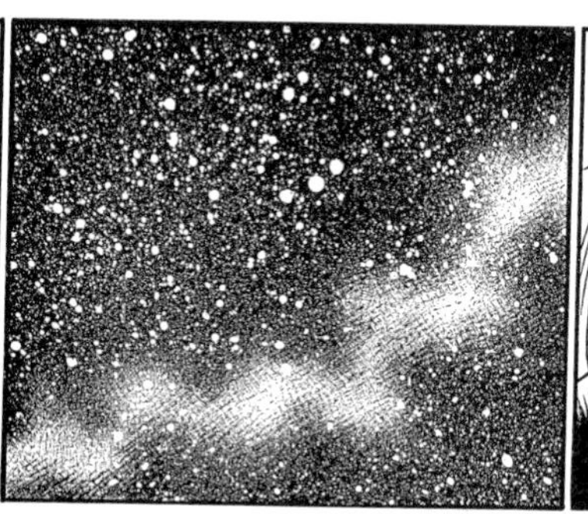

師匠…
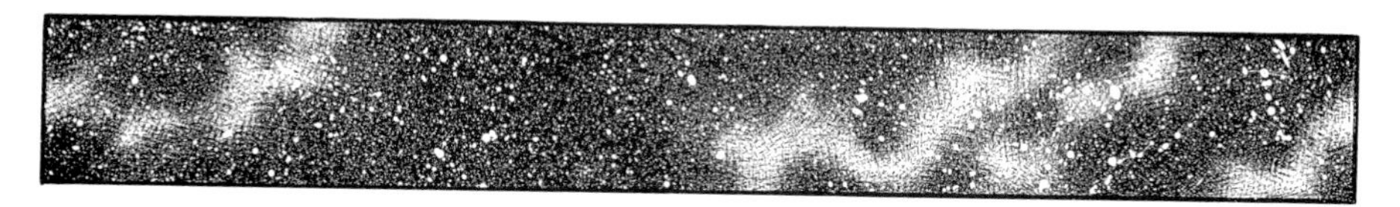

春は夜桜
夏には星
秋に満月
冬には雪
それで十分酒は美味い

それでも
不味いんなら
それは
自分自身の何かが
病んでいる証だ

病んでいる…
確かに
そうかも
けど
時代の苦難から
人々を救うのが
飛天御剣流の理…
今こそ
その時のはず…
ケンカ別れして
もう一年
師匠はあの時
なぜ
俺を止めようと
したんだろう…
よし…
来やがった
この道で
ドンピシャリ
だぜ
よ…よう
本当に
殺る気かよ…
あたりまえだ!
てめえはあんだけ
コケにされて
黙ってる気か!!

でもやっぱ人殺しはよう
バカヤロウ今の京都じゃ殺しなんてあたりまえだろ!
その通り

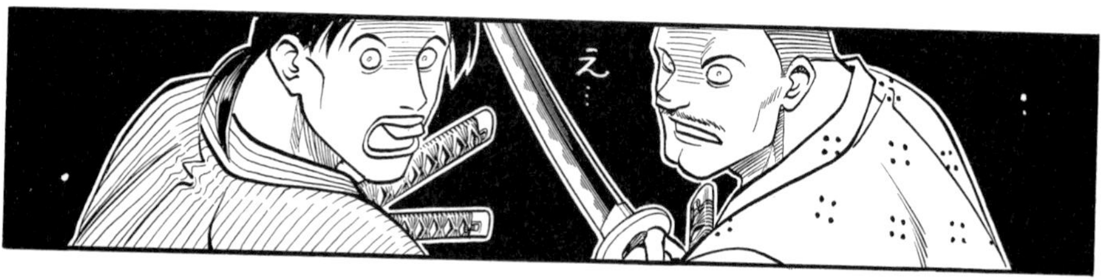
え…

邪魔だ
逝ね!

たっ
助けて
助けてくれッ!!
ハァ
ダダダ…
ハァ
ハァ
助ゲッ
ぎゃあああっ
シャララア!
!

ザシャアッ
人斬り抜刀斎だな
何のコトだ…
トボけても調べはついてる
ついてるからこそこうして待ち伏せた

御命頂戴!!
幕府の手の者
しかもマトモな侍ではない
自分と同様――

歴史の表に決して出るコトのない
影の刺客!!
覚悟!!
ズボオッ

おおおお
!

ビチャ
ビチョ
ビチャ
!
ザッ

見られた……
先程の居酒屋の女性……

まだ抜刀斎の存在を世に知られる訳にはいかない……！

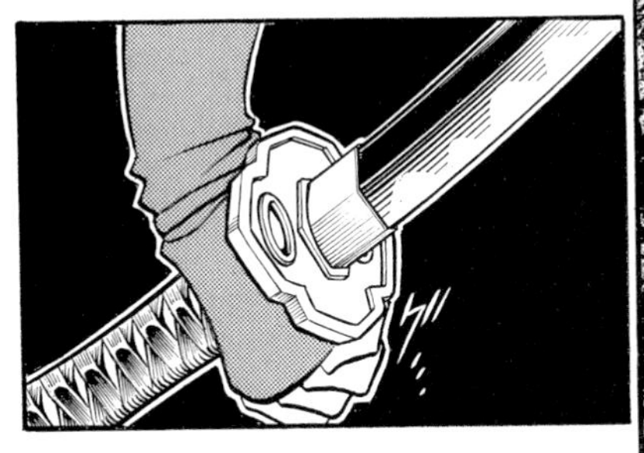

……

先程のお礼をと思い追って参りました

よく惨劇の場を「血の雨が降る」と表しますけど……

あなたは本当に血の雨を降らすのですね…
剣心と巴──

この瞬間から
二人の運命の輪が
静かに
廻り始めた
カシャン…
狂々…
狂々と
——…

るろうに剣心
—明治剣客浪漫譚—

第百六十八幕「追憶ノ四—雪代 巴—」

第百六十八幕「追憶ノ四—雪代巴—」

和月伸宏

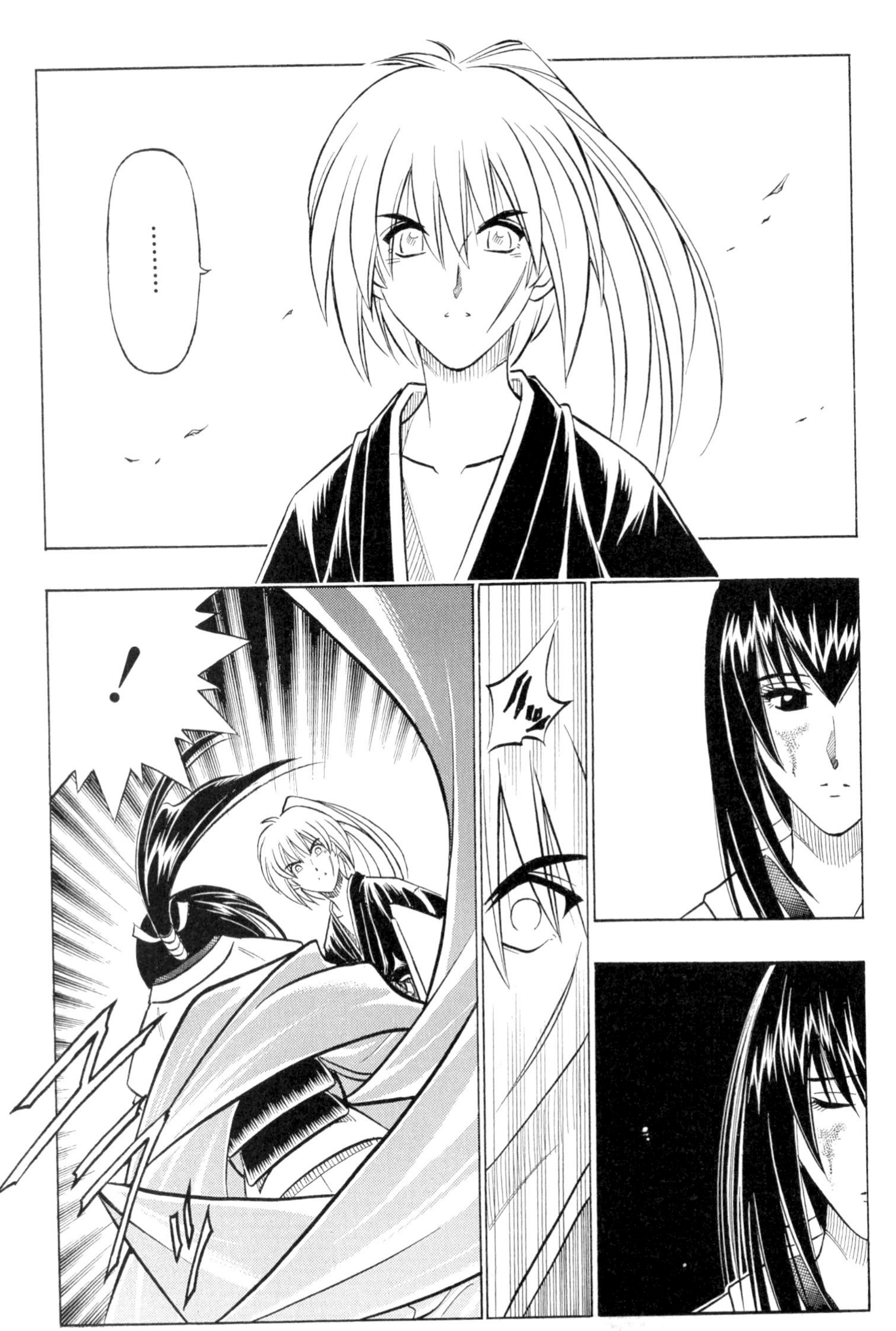

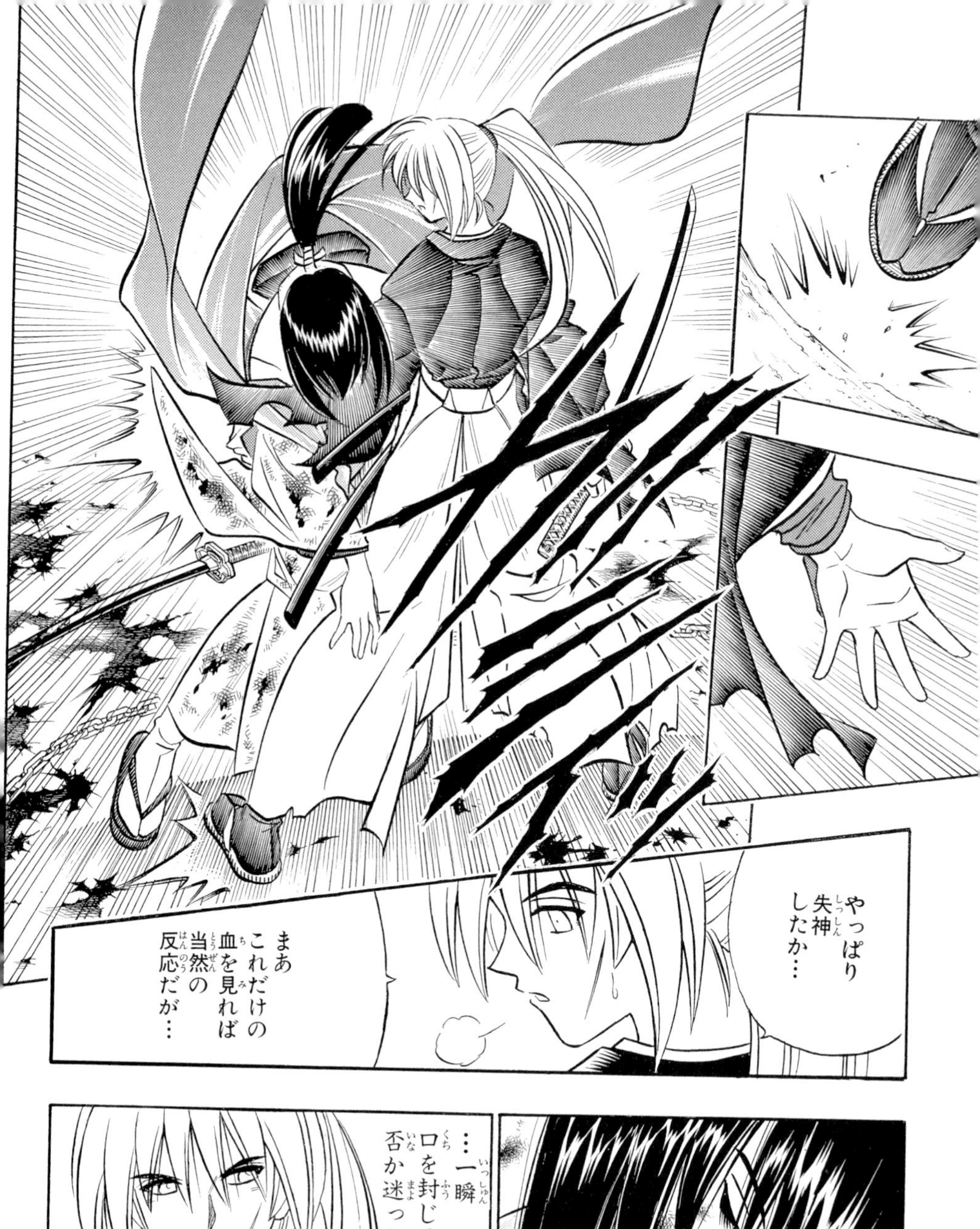
やっぱり失神したか…
まあこれだけの血を見れば当然の反応だが…

…一瞬口を封じるか否か迷った――
いや…それすら忘れた――

しかし…この場をどうするか…
証人を残していくわけにもいかぬし…
第一夜の京都に女子一人どうなるかわかったものではない
仕方ない
よっこらせ…

香水の香り…
これは確か白梅香…

…いかん
なんか調子が狂ってる…

旅館
小萩屋

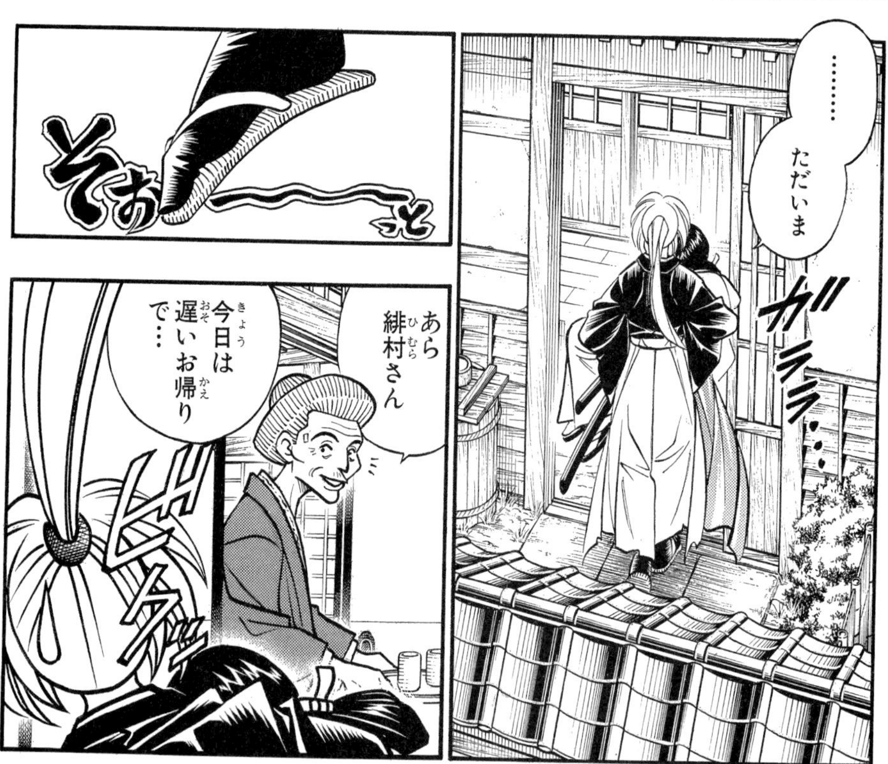
………
ただいま
ガラララ…
そお―――っと
あら緋村さん
今日は遅いお帰りで…

緋村さん
あんた
何やっとん
？
いや
ちょっと
そこで一騒動
あって――
だから
決して
怪しい訳では
たら
たら
たら
巻き添えで
この者が
気を失って
じー

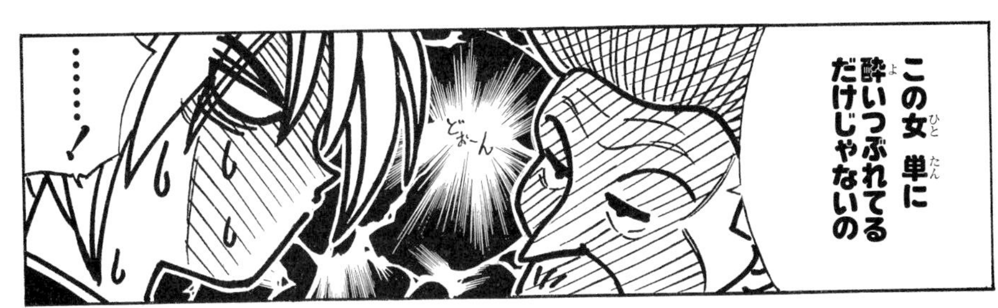
この女 単に
酔いつぶれてる
だけじゃないの
どぉーん
……！

ウチは
出会茶屋じゃ
ないんです
からね一応
ハイ…
今代えの服と
湯を用意します
よう
おかみ
どうした
ヒョイ
いやね
桂先生から
預かっている
あの若い人
がね…
何イ
抜…いや 緋村君が
女を連れ込んだァ!?

…ったく
ただの
酔っぱらいか
!…
鮮血の匂いと
白梅香の香り…
本当に
調子が狂う…

チチチ…
旅館
小萩屋
パチ!

!
しまった
油断(ゆだん)した…!!
おかみさん!
板場

じゃ これ 松の間に 運んどくれ
ハイ
おや お早う 緋村さん
あんたの彼女 みかけによらず 働き者で 助かるねェ
……
……えっと…
名前ですか？
巴と申します

で 巴サンは いったい 何をやって いるんだ？
見て わかりませんか？
…台所の 手伝い
わかってるじゃ ないですか
てくてく

…とりあえず 話がある
今は忙しいから 後で聞きます
ガラ
失礼します 朝食 お持ち しました

おーー!!
これが緋村君の女か!
どよ
美人だ!
どよ
どよ
年上だ!!
どよ
どよ
でも緋村と同じで愛想が全くない!

巴です以後お見知りおきを
コラコラコラー!!
なーに今更恥ずかしがってんだコノ色男
うら うら!
…飯塚サンですが…

で
具合はどーだった?

うお!

危ねェ危ねェ
あいつが抜刀斎だってコトつい忘れてた
パチン
ちょっとからかうだけでも命がけだな

みんなして来て藩邸の方はどうなっているんです
桂さんの滞在中は厳重警護が決まりのはずでしょう

※京都の芸妓。維新後に夫人となった当時の桂小五郎の愛人。

思いあたるフシはある
祇園祭の夜の密会に参加するはずだった古高さんが先日新撰組に捕まった件も含めて…
…やはり自分が護衛につきましょうか?
いや…それはこちらでなんとかしよう
お前はお前の方で十分気をつけてくれ

この先…狙われる人物の筆頭は長州派志士の大黒柱のこの人…
一刻も早く裏切り者を探し出さないと大変なコトになる

一つ間違えれば
歴史の流れが最悪の方に向かう!!

はい？
だから──
夕べ見たコトを
一切忘れると誓って
ここからさっさと
去って欲しい
ここにいては
迷惑ですか
おかみさんは
気に入って
くれましたけど
……
家の者が
心配する
だろう

……
帰れる家が
あるなら
夜更けに
女一人で
飲めない酒に
酔ったり
しません

…いかん
いかん
どんな事情かは
知らんが
今 我々はあなたに
かまっている状況じゃ
ないんだ
では
私を始末
しますか？
昨晩の黒い
おサムライの様に

…どう思おうと
あなたの勝手だが
俺は皆が安心して暮らせる
新時代のために
人を斬っているのであって
誰彼かまわず
斬っているのではなく
刀を持つ
幕府の者だけを
敵としている
市井の人は
もちろん
敵であっても
刀を持たぬ者は
絶対に斬りは
しない
コト…
刀のあるなしで
斬り殺していい人と
悪い人…ですか？
ではもし
私がこの場で
刀を手に
すれば
あなたは私を
――…
――…
それは…

いずれ…
答が見つかりましたら是非聞かせて下さいませ
ち…ちょっと待て!!
てェコトはこのまま居すわる気か!
パタム
はっ!!
トッ
…ったく
…調子が狂っているのか…
それとも狂ってた調子が元に戻り始めているのか…

るろうに剣心
―明治剣客浪漫譚―

第百六十九幕「追憶ノ伍—狂—」

伸宏 和月

御掃除します
少し部屋を
空けて下さい
ガラ
…頼んだ
覚えは
ない
おかみさんに
頼まれました

雪代巴は
周りの誤解
そのままに
ここに
居ついてしまった

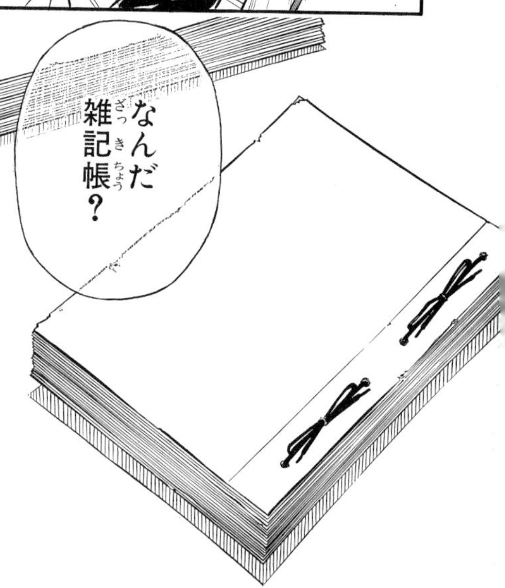
なんだ
雑記帳？

あそれ
私の日記帳
です
見ないで
下さいね
見るか!!
…本当
完全に
居ついちまった

念のため

よー
緋村！
飯塚さん
どうした
浮かねェ顔
して
巴ちゃんと
ケンカでも
したか
わかった
わかってる!!
ザザザザッ

カリカリ
してんなァ
小魚
喰えよ
キッ
…何か
用ですか

今夜だ
頼むぞ

飛天御剣流
龍巣閃・咬
黒い封筒が
届くたび
京都の夜に
確実に血の雨が
降った

ただひたすらに
天誅(てんちゅう)の繰(く)り返(かえ)し
ばしゃ…

このまま
ずっと
人を殺め
続けるつもり
ですか?

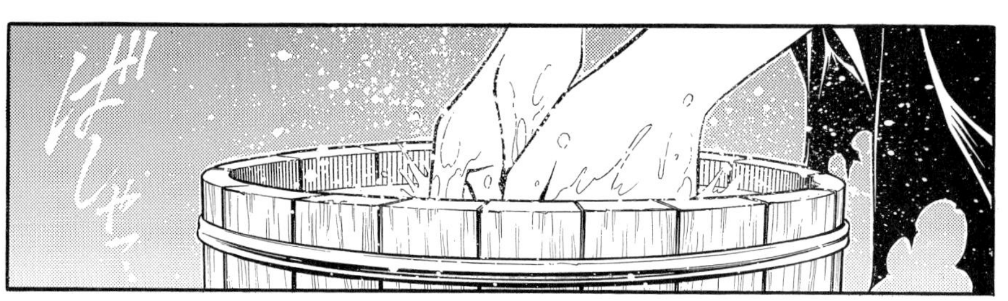
ばしゃ

――それで
言葉遣い
物腰
生活習慣
あと
料理の味つけ
どれをとっても
京の人間では
ありませんね
読み書きが
出来る点も
考えると恐らく
関東の武家の
娘ではないかと

ただ
外部と連絡を
とった形跡は
全くありませんから
雪代 巴が
どこぞやの
送り込んだ密偵
という線は薄いか
何らかの事情で
家が嫌になって
飛び出して
来た
自暴自棄な
迷い猫ってのが
関の山でしょうな
まだ
中間報告の
段階だ
結論には早い
──で 肝心の
緋村への
影響の程は
?
悪くないですよ
ただ…
ただ?
最近
微妙に剣の
キレが鈍って
いるのではと
検分役の
方から──…
……

とんとん
…はい

夜分失礼
少し邪魔してよろしいかな

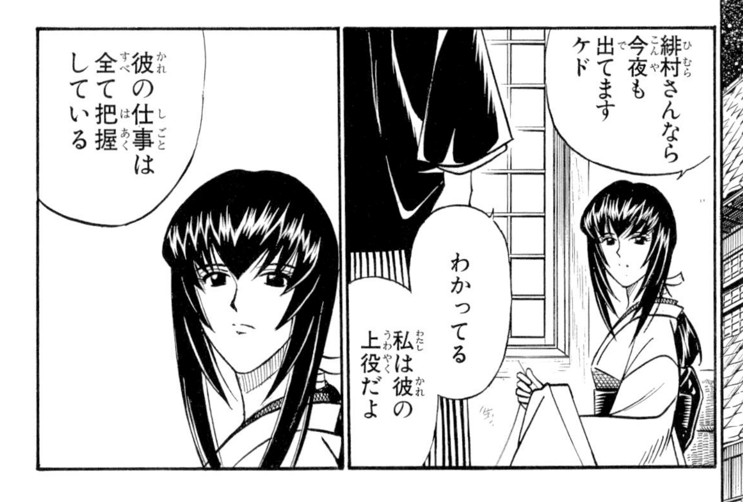
緋村さんなら今夜も出てますケド
わかってる
私は彼の上役だよ
彼の仕事は全て把握している

〃狂〃？
桂専用

まだ若かりし頃
私や高杉など
多くの仲間が
多くを学んだ
「松下村塾」の
恩師…
安政の大獄で
処刑された
吉田松陰先生の
教えのひとつ

徳川三百年の果てに
狂に至ったこの時代を打破し
新時代を築くという
大業を成すには
我々もまた
今は狂に至らねばなるまい…

あえて狂うことも
厭わないほどに
極めた正義
……
それが今の
長州派の
原動力

そして緋村にはその〝狂〟の正義の先鋒
最も苛酷な役割を務めてもらっている

………それで？
それを話して私には何を・・・務めさせようとお考えなのですか？
どうしろというのではなくただ君に我々のやっているコトを理解してもらおうと思っただけなんだがね
失礼をした…
ぱたん…
カラ

すっ
…………
バシャ
バシャ

カァー…
カァー…

御苦労さん
今日はもう
手伝いいいよ
はい
トン
トン
スー…

すー…

…新時代のため
あえて狂うことも
厭わない
正義…

その
〝狂の正義〟の
先鋒

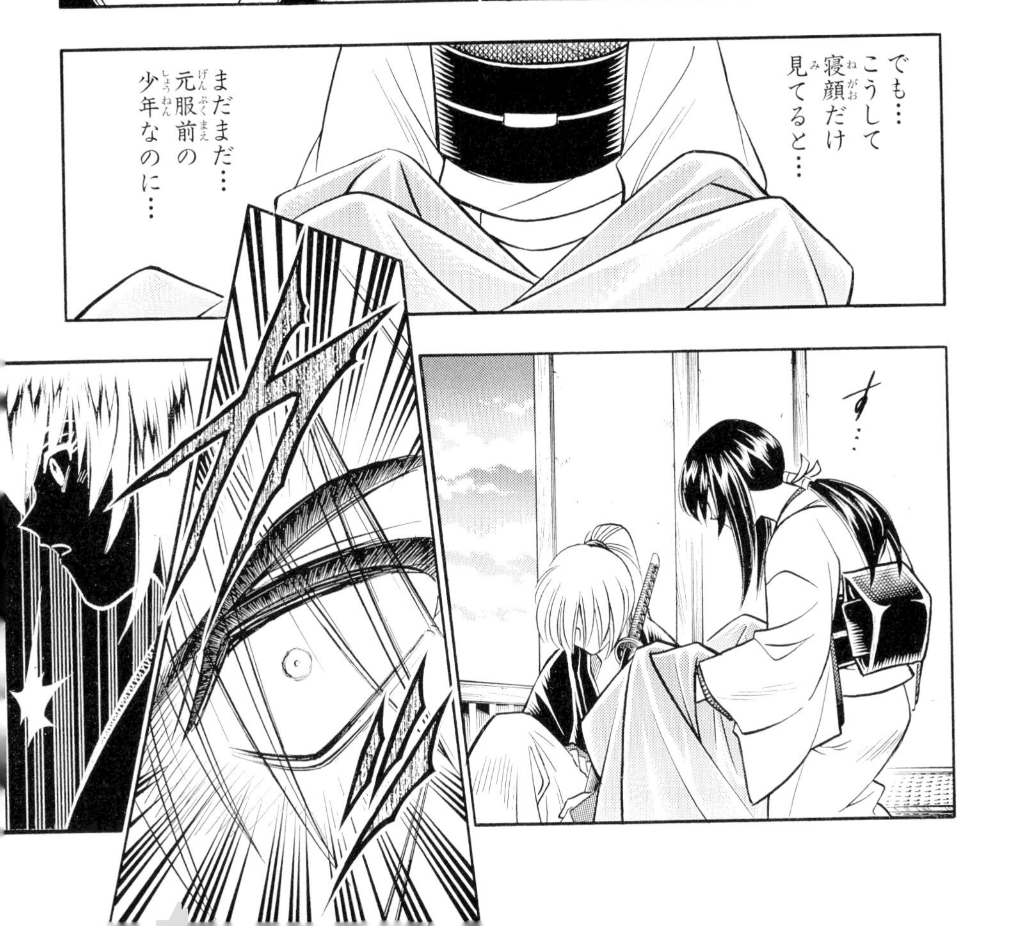
でも…
こうして
寝顔だけ
見てると…
まだまだ…
元服前の
少年なのに…
す…

……すまない……
ハア
ハア
市井の人は斬らないと大口叩いたところで今の俺はこの有り様…
もう出ていってくれでないと俺はいずれ本当に君を——…

るろうに剣心
―明治剣客浪漫譚―

ジャンプ・コミックス
るろうに剣心―明治剣客浪漫譚―完全版15

2007年2月7日　第1刷発行

著　者　**和月伸宏**
©Nobuhiro Watsuki 2007

発行人　**太田富雄**

発行所　**株式会社集英社**
〒101-8050　東京都千代田区一ツ橋2丁目5番10号
電話　東京　03(3230)6017(編集部)
03(3230)6191(販売部)
03(3230)6076(読者係)

印刷所　**大日本印刷株式会社**
Printed in Japan

編集協力　**株式会社尚企画**

造本には十分注意しておりますが、乱丁・落丁(本のページ順序の間違いや抜け落ち)の場合はお取り替え致します。購入された書店名を明記して、集英社読者係宛にお送り下さい。送料は集英社負担でお取り替え致します。但し、古書店で購入したものについてはお取り替えできません。本書の一部または全部を無断で複写、複製することは、法律で認められた場合を除き、著作権の侵害となります。

ISBN978-4-08-874164-2 C9979